Texto de Jillian Harker
Ilustraciones de Gill McLean

Edición publicada por Parragon en 2013

Parragon
Chartist House
15-17 Trim Street
Bath BA1 1HA (Reino Unido)

Traducción del inglés: Sara Chiné Segura para LocTeam, Barcelona
Redacción y maquetación de la edición en español: LocTeam, Barcelona

ISBN 978-1-4723-1602-8

Printed in China

Ojalá...

Bath • New York • Singapore • Hong Kong • Cologne • Delhi
Melbourne • Amsterdam • Johannesburg • Shenzhen

Pepo se sentía un poco solo sentado en la cama. Era nuevo y no había visto a nadie más en la habitación.

Mientras observaba cómo la luz de la luna se filtraba por las cortinas iluminando un trozo de la cama susurró:

—Ojalá tuviera a alguien con quien jugar.

—¿He oído bien? ¿Alguien quiere jugar? —preguntó una voz.

La tapa de la caja de juguetes empezó a abrirse y de ella salió una yegua con manchas marrones.

—Hola, soy Gina y ¡me encanta jugar!

¡Boing!

¡Boing!

Gina empezó a saltar encima de la cama.
Botaban de arriba a abajo.

—¿De dónde has salido? —preguntó.

—Me trajeron el día de la fiesta de
cumpleaños —respondió Pepo—. Fui un regalo.

—¿Alguien ha
dicho fiesta? —preguntó
un simpático mono que
asomaba la cabeza por
detrás de la cortina—.
¿Por qué no estamos
Rosi y yo invitados?

Una risueña conejita apareció a su lado.

—A Milú y a mí nos encantan las fiestas —le dijo
Rosi, la conejita, a Pepo—. ¡Y a Hugo también!

Rosi desvió la mirada hacia la caja de juguetes,
de donde salía un sonoro bostezo. De repente, un
gracioso hipopótamo azul asomó la cabeza.

¡Fiesta!

—¡Una fiesta! —gritó Hugo—. Seguro que habrá comida, ¡tengo hambre! ¿Queda algo?

—Creo que hay magdalenas —contestó Pepo—. Aunque creo que no deberíamos...

Pero Hugo ya había salido corriendo por la puerta.

—¡Oh! —dijo Pepo mirando a los demás juguetes—. ¿Deberíamos seguirlo?

Pepo seguía a Hugo por las escaleras cuando Gina les adelantó zumbando.

—¡Qué divertido! —exclamó Gina.

—¡Esperadme! —gritó Pepo.

¡Yuju!

En la cocina, Hugo estaba a punto
de darle un mordisco a las sobras de una
magdalena en la que había una vela. Cuando
ya tenía casi toda la vela dentro de la boca,
Pepo se la quitó de las manos.

—Perdona —le explicó—, pero
no hay que comerse esa parte.

—Gracias, Pepo. Eres muy listo.
Ojalá yo también supiera estas cosas
—balbuceó Hugo.

Antes de que Pepo le pudiera explicar
lo de la vela, oyó como Gina y Rosi
gritaban. Miraban horrorizadas una
sombra negra que se movía en la ventana.
Se agarraron con fuerza a Pepo.

—Pero si es un gato —dijo Pepo—. No tengáis miedo.

—Uf… —suspiró Rosi, aliviada.

—¡Ojalá fuera tan valiente como tú, Pepo! —exclamó Gina.

—No entrará, ¿no? —susurró Milú.

Todos miraron a Pepo esperando una respuesta.
Milú se había escondido debajo de la mesa y a Hugo
le temblaban las piernas.

De repente, se oyó un fuerte crujido y **¡catapún!**

—No os preocupéis, es el gato, que está entrando en la cocina —explicó Pepo.

Pero Hugo, Gina y Rosi salieron pitando y desaparecieron escaleras arriba tan rápido como pudieron.

Pepo los encontró a todos en la habitación. Le costó mucho convencerlos para que salieran.

—Pepo, ¿estarás siempre aquí para cuidarnos? —le preguntó Gina.

Pepo esbozó una sonrisa. Era agradable sentir que lo necesitaban.

—Claro —contestó.

Hugo estaba cansado después de tanta aventura.

—¿Cómo me voy a dormir con el hambre que tengo? —se lamentó, acomodándose en la cama.

Gina y Rosi se rieron mientras bailaban encima de la cama. Milú se unió al baile.

—Podríamos jugar todos en el jardín
mañana —sugirió Rosi.
—¿Cómo es el jardín? —preguntó Pepo.
—Te lo enseño —dijo Gina, y ayudó a
Pepo a encaramarse a la ventana.

—¡Oh! —dijo, emocionado—. Suena genial.
¿Vendrás tú también a jugar, Hugo?

Hugo soltó un bostezo enorme.
—El jardín está muy lejos. Creo que me echaré una
siesta mientras vosotros jugáis.

Pepo sonrió a su nuevo amigo dormilón.

Gina empezó a saltar en la cama. Pepo levantó la vista hacia las estrellas y tuvo la sensación de que no volvería a sentirse solo nunca más.

—Ojalá mañana sea un día tan divertido como este —susurró.

Pepo se giró, tomó impulso
y empezó a saltar encima
de la cama.
—¡Va por vosotros, amigos!
—dijo entre risas.